THiLO

Ponyhofgeschichten

Illustrationen von Heike Wiechmann

FSC

Mix
Produktgruppe aus vorbildlich
bewirtschafteten Wäldern und
anderen kontrollierten Herkünften

Zert.-Nr. SGS-COC-2939
www.fsc.org
© 1996 Forest Stewardship Council

ISBN 978-3-7855-6343-4
1. Auflage 2009
© 2009 Loewe Verlag GmbH, Bindlach
Umschlagillustration: Heike Wiechmann
Reihenlogo: Angelika Stubner
Rätselfragen: Sandra Grimm
Printed in Italy (011)

www.leseleiter.de
www.loewe-verlag.de

Inhalt

Tombola

Schweren Herzens steht Maja
am Sonntagmorgen auf.
Heute ist ihr letzter Tag
auf dem Ponyhof!
Mit hängendem Kopf
geht sie in den Stall.
Zimtstern wartet schon
ganz sehnsüchtig.

Maja streichelt
ihrem Lieblingspony den Hals.
Die Woche ist wirklich
wie im Flug vergangen.
„Komm, mein Süßer",
flüstert Maja dem Pony ins Ohr.
Ein letztes Mal schnallt sie ihm
den Sattel fest.

Dann führt sie Zimtstern

auf die Reitbahn

und steigt in den Sattel.

Lange reitet Maja im Kreis.

Seit zwei Tagen

darf sie das schon alleine.

Die ganze Zeit über schüttet sie

Zimtstern ihr Herz aus.

„Wenn ich dich

doch mitnehmen könnte!",

seufzt Maja.

Aber es hilft alles nichts.

Mittags kommen die Eltern,

um alle Kinder abzuholen.

„Überraschung!", ruft da Katja,

ihre Lehrerin.

„Zum Abschied machen wir

eine große Tombola.

Jedes Los gewinnt!"

Erst will Maja gar nicht

in den Topf greifen.

Aber als Zimtstern sie
mit seiner warmen Schnauze
vorsichtig anstupst,
zieht sie doch ein Los.
„Zimtstern, du bist Gold wert!",
jubelt Maja plötzlich los.
„Gratuliere!", ruft auch Katja.
„Das ist der Hauptgewinn:
noch eine Woche Reiterferien!"

∩ ∩ ∩ ∩ ∩ ∩ ∩ ∩ ∩ ∩ ∩ ∩ ∩ ∩

*Was macht die Lehrerin zum
Abschied? In diesem Wort steckt
ein Jungenname. Wie lautet er?*

*Trage den Namen am Ende des
Buches im Kreuzworträtsel bei
Nummer 1 ein.*

Unfall im Gelände

„Wir reiten heute ins Gelände",
verkündet Frau Monteli.
Katharina und die beiden
anderen Reiterinnen jubeln.
Durch den Wald zu reiten,
macht viel mehr Spaß
als auf der Reitbahn!

Katharina sattelt Frechdachs,

den kennt sie schon gut.

Dann reiten sie los.

Immer hinter Frau Monteli her.

Katharina ist

richtig stolz auf sich.

Frechdachs macht alles,

was sie will.

Da schreit Frau Monteli

plötzlich auf.

„Aua! Ich hab einen Krampf!"

Sie greift sich ans Bein.

Durch den Schrei
erschrickt ihr Pferd
und bäumt sich auf.
Sie fällt aus dem Sattel
und schlägt mit dem Kopf
an einen Baumstamm.
Benommen bleibt sie
im Gras sitzen.
„Wo bin ich?",
säuselt Frau Monteli verwirrt.

Die drei Mädchen
starren sich erschrocken an.
„Wir müssen Hilfe holen!",
beschließt Katharina.
Aber wie?
In diesem Teil des Waldes
war vorher noch keine von ihnen.
Da hat Katharina
die zündende Idee.

„Ich weiß, wer den Weg kennt!",
ruft sie erleichtert.
„Frechdachs, lauf zum Hof!"
Das Pony schnaubt,
als ob es Katharina
genau verstanden hätte.
Dann dreht es um
und trabt schnell nach Hause.
Ein Krankenwagen holt
Frau Monteli wenig später ab.

Als sie sich
von ihrem Schock erholt hat,
bedankt sie sich
herzlich bei Katharina.
„Wieso bei mir?",
fragt Katharina lachend.
„Spendieren Sie lieber Frechdachs
eine Extraportion Leckerlis!"

*Finde ein Wort, in dem der
24. Buchstabe des Alphabets
vorkommt. Wie heißt es?*

*Trage es im Kreuzworträtsel bei
Nummer 2 ein.*

Der Hofgeist

Die letzte Nacht auf dem Ponyhof
dürfen alle Kinder
im Heu übernachten.
Gespannt richtet sich Anna
ein Lager im Stall.
Iris und Lena
legen sich neben sie.

Vom vielen Reiten
ist Anna hundemüde.
Lucky ist einfach ein tolles Pony!
Auch den anderen im Heu
fallen schon die Augen zu.
Aber als ihre Lehrerin Kerstin
das Stalllicht ausmacht,
sind plötzlich alle wieder wach.
Nur der Mond scheint herein.
Richtig gruselig ist das!

Anna kuschelt sich
ein bisschen an Lena.
„Kennt ihr eigentlich schon
unseren Hofgeist?“,
fragt Kerstin geheimnisvoll.
Alle Mädchen murmeln
ein gespanntes „Nein“.
„Dann will ich euch
von ihm erzählen!“,
flüstert Kerstin weiter.

„Er wohnt gleich nebenan.
Manchmal schleicht er sich
mitten in der Nacht an und …"
Plötzlich quietscht das Tor
hinter Kerstins Schlafplatz.
„Der … der Geist!", stottert sie
nun selbst erschrocken.
Langsam kommt ein Schatten
auf die Mädchen zu.

Anna beißt sich
vor Spannung auf die Lippen.
Aber dann lacht sie.
„Klar, ich kenn den Geist!"
Jetzt sehen es auch die anderen.
Es ist Annas Lieblingspony!
„Mensch, Lucky!", stöhnt Kerstin.
„Musst du gerade dann ausbüxen,
wenn ich Gruselgeschichten erzähle?"

*Von wem erzählt Kerstin den
anderen Mädchen? Tausche „ei"
gegen ein „a" und du weißt, was
Lena auf dem Hof macht. Was ist
sie?*

*Trage die Lösung im Kreuzwort-
rätsel bei Nummer 3 ein.*

Ein rätselhaftes Hoffest

Auf dem Müllerhof
steht das große Sommerfest
vor der Tür.
Dieses Jahr wollen Tom und Paul
mit den Ponys
eine Parade einüben.

Ihre Eltern sind begeistert.
Gleich am Nachmittag
trainieren die beiden Brüder
mit den fünf Shetlands.
„Alle aufstellen!", brüllt Paul.
Tom ordnet die Ponys in eine Reihe.
Dann bekommt jedes
eine Decke mit Buchstaben
übergeworfen.

Paul hat sie gemalt.
PO-NY-HOF MÜL-LER,
steht jetzt da.

Nach zwei Wochen Üben
klappt die Parade
wie am Schnürchen.
Dann ist endlich das Hoffest da.
Über hundert Besucher
hat Paul gezählt.
„Wir kommen nun
zum Höhepunkt des Tages",
verkündet Herr Müller stolz.

Jetzt ist Tom doch aufgeregt.

„Raus auf die Koppel!",

treibt er die Shetlands an.

Aber welches Pony

war noch mal an erster Stelle?

Paul ist auch ganz verwirrt.

Kaum sind sie aus dem Stall,

hält er den Tieren schon

ihre Belohnung hin.

Alles gerät
vor Aufregung durcheinander.
„Mama, was heißt denn
NY-MÜL-HOF-LER-PO?",
ruft ein kleines Mädchen.
Tom schämt sich.
Aber dann hat er
die rettende Idee.

Im Nu klettert er auf den Zaun.

„Liebe Gäste!

Was bedeutet Nymülhoflerpo?",

ruft er in die Runde.

„Wer es rauskriegt,

gewinnt eine Reitstunde!"

Vervollständige: „Aber welches Pony war noch mal an erster …?" Lies das gesuchte Wort rückwärts und stelle ein „P" davor. Was bekommen Ponys oft zu fressen?

Trage die Lösung im Kreuzworträtsel bei Nummer 4 ein.

Überzeugt!

Samuel ist zwar erst sieben,
aber er reitet wie ein Profi.
Am liebsten würde er
sogar im Stall schlafen.
Für einen Schwimmkurs
hatte Samuel deshalb nie Zeit.
Als sein Reitlehrer
im Sommer einen Ausritt
an den See vorschlägt,
ist Samuel
gar nicht begeistert.

Weil aber alle Kinder jubeln,
will Samuel nicht kneifen.
Und der Ritt zum See
ist ja auch wunderschön!
Dicki, sein Pony,
schnaubt vor Wonne.
Aber am See angekommen,
springen die anderen
sofort ins Wasser.

Jakob hat einen Ball mitgebracht.

„Los, spiel mit!",

ruft er Samuel zu.

Beschämt bläst Samuel

seine Schwimmflügel auf.

Hoffentlich lacht keiner.

Paddelnd wie ein Hund

versucht Samuel,

die anderen einzuholen.

„Warum soll ich
schwimmen können?",
denkt er trotzig.
„So komme ich auch vorwärts!"
Da bohrt sich plötzlich
ein Schilfrohr
in einen Schwimmflügel.
Zischend entweicht die Luft.
„Hiiilllpppppe!",
blubbert Samuel hervor.

Doch die anderen
sind so in ihr Spiel vertieft,
dass sie ihn nicht hören.
Und sein Reitlehrer
versorgt gerade die Pferde.
Verzweifelt merkt Samuel,
wie er immer tiefer sinkt.
Er hat Riesenangst.
Da spürt er auf einmal
einen Stups an der Schulter.
Es ist Dicki!

Samuel krallt sich
in ihrer Mähne fest.
Ruhig schwimmt das Pony
zum Ufer zurück.
Erleichtert schließt ihn
sein Reitlehrer in die Arme.
„Ihr habt mich überzeugt!",
stöhnt Samuel an Land.
„Nicht nur Ponys
sollten schwimmen können!"

*Was bohrt sich in Samuels
Schwimmflügel? Tausche „il"
gegen ein „a" und das erste „r"
gegen ein „s". Was wackelt jetzt
lustig herum?*

*Trage die Lösung im Kreuzwort-
rätsel bei Nummer 5 ein.*

Ein Pony bedankt sich

Auf dem Sonnenhof
sind in diesem Jahr
vierzig Kinder!
Marie und 39 andere.
Jeden Tag machen sie
eine Menge Quatsch zusammen.

Aber heute ist
nicht das leiseste Lachen
zu hören.
Nevada müsste eigentlich
seit Tagen fohlen.
Doch irgendetwas stimmt nicht.
Bauer Huber
sieht sehr besorgt aus.

„Wenn das Fohlen
nicht bald da ist,
muss der Tierarzt kommen",
sagt er zu Marie.
Sofort trommelt sie alle Kinder
in der Reithalle zusammen.
„Es steht schlecht um Nevada",
erklärt sie den anderen.

„Aber wir können
doch nichts tun, oder?",
ruft ein Junge mit Brille.
„Doch!", widerspricht Marie.
„Wir können Blumen pflücken.
Dann merkt Nevada,
wie fest wir an sie denken!"

40

Eine halbe Stunde später
liegen vierzig Sträuße
vor Nevadas Box.
Marie kann vor lauter Sorgen
gar nicht weggehen.
Plötzlich hört sie
Bauer Huber jubeln.
„Na bitte, meine Beste!"

Mit klopfendem Herzen
schielt Marie über die Boxentür.
Neben Nevada liegt
ein kleines braunes Bündel.
Der Bauer hat es schon
mit Stroh abgerieben.
„Nevada möchte sich bei euch
für die Blumen bedanken", sagt er.
„Und *du* darfst ihrem Fohlen
den Namen geben!"

Marie geht vorsichtig in die Box
und streichelt dem Kleinen
zart über die Schnauze.
Sie hat keine Zweifel:
„So süß wie du aussiehst,
kannst du nur Karamell heißen!"

 *Zähle alle Zahlen zusammen,
die im Text stehen. Welche Zahl
kommt heraus?*

*Trage sie im Kreuzworträtsel bei
Nummer 6 ein.*

Ein Wunder!

Schon seit fünf Jahren
macht Ilka jeden Sommer
Ferien auf dem Deichhof.
Aber diesmal ist Onkel Klaas,
der Besitzer des Ponyhofs,
ziemlich muffelig.

Eines Morgens geht Ilka

in der Reithalle auf ihn zu.

„Was ist los, Onkel Klaas?",

fragt sie ihn freiheraus.

Klaas starrt zu Boden.

„Wir haben zu wenig Gäste",

stöhnt er.

„Wenn kein Wunder geschieht,

müssen wir den Hof schließen!"

Ilka schluckt.

„Das darf nicht passieren!",

platzt sie heraus.

Onkel Klaas zuckt nur

mit den Schultern.

Traurig geht Ilka auf die Koppel.

Die Ponys Teddy, Fritzchen

und Samson wiehern fröhlich.

„Und was wird aus euch?",

denkt Ilka verzweifelt.

„Nein!", ruft sie so laut,

dass Fritzchen erschrickt.

Denn jetzt hat sie eine Idee!

Mit ihrer Digitalkamera

macht Ilka Fotos von den Ponys.

Dann schleicht sie sich
heimlich ins Büro.
Dies ist eine Rettungsaktion
für den Deichhof!,
tippt Ilka in den Computer.
Jede muss die Fotos
an fünf Freundinnen schicken.
Aber besser noch,
ihr kommt gleich alle her
und lernt reiten!

48

Zwei Tage später
stürmt Onkel Klaas in die Halle.
„Das Telefon steht
gar nicht mehr still!",
wundert er sich.
„Wir bekommen eine Anmeldung
nach der anderen!"

Schmunzelnd streichelt Ilka
Fritzchen über die Nase.
„Tja", antwortet sie.
„Das muss wohl
das Wunder vom Deichhof sein!"

*Suche ein Wort mit „pp", das fünf
Buchstaben hat. Wie lautet es?*

*Trage es im Kreuzworträtsel bei
Nummer 7 ein.*

Schöne Ferien!

Papa ist motzig.
Das ganze Jahr über hat er
vom Urlaub am Meer geträumt.
Aber jetzt streiken
seine Zwillinge.
„Wir wollen
auf einen Ponyhof!",
fordert Laura.

„Mindestens zwei Wochen!",
fügt ihre Schwester Jana hinzu.
Mama zuckt mit den Schultern.
„Am Meer waren wir doch schon
im letzten Jahr", sagt sie.
„Ihr immer mit euren Pferden!",
stöhnt Papa.

Aber Laura und Jana
lassen nicht locker.
„Also gut!",
schnauft Papa dann.
„Junge Damen soll man
nicht enttäuschen!"
Begeistert drücken ihm
Jana und Laura
einen Kuss auf die Wange.

Einen Monat später
fahren sie los.
„Warum grinst Papa
so seltsam?",
flüstert Jana im Auto.
Laura wundert sich auch.
„Und Mama zwinkert ihm
immer zu!"
Bestimmt hecken die beiden
etwas aus.

Als sie am Abend ankommen,
tuschelt Papa
mit dem Hofbesitzer.
Schließlich winkt er
die Mädchen in den Stall.
„Hier sind die Pferde",
sagt er und zeigt in eine Box.

Laura und Jana recken sich
und schauen über die Tür.
Muckel und Fonsi
sind unheimlich niedlich.
Aber das andere Pferd ist doch
viel zu groß!

„Auf Rasputin werde ich reiten!",

erklärt Papa stolz.

„Duuuuuuu?",

rufen die Zwillinge erstaunt.

Papa nickt.

„Ja, ich!", sagt er.

„Und Mama bekommt

den Schimmel dahinten!"

Da fallen ihm seine Töchter
um den Hals.
„Papa, du immer
mit deinen Pferden!",
rufen beide im Chor.

Welches Wort reimt sich auf
„Schluss"? Wie lautet das
dritte Wort dahinter?

Trage es im Kreuzworträtsel bei
Nummer 8 ein.

Die ersten 20 Lebensjahre verbrachte **THiLO** in der Kinderecke der elterlichen Buchhandlung. Anschließend schaute er sich in Afrika, Asien und Mittelamerika um, bevor er mit Freunden als Kabarett-Trio „Die Motzbrocken" erfolgreich durch die Lande zog (Grazer Kleinkunstpreis/Hessischer Satirepreis). Heute lebt THiLO mit seiner Frau und vier Kindern in Mainz und schreibt neben seinen Romanen Geschichten und Drehbücher für u.a. Siebenstein, Sesamstraße, Schloss Einstein und Bibi Blocksberg.

Mehr über THiLO und seine Geschichten erfahrt ihr im Internet unter www.thilos-gute-seite.de.

Heike Wiechmann wurde 1963 in Travemünde geboren. Schon als Kind liebte sie Farben, Pinsel und Papier. Seit dem Studium an der Fachhochschule für Gestaltung in Hamburg illustriert sie Bücher für Kinder, entwirft Spielzeug und unterrichtet Zeichnen. Heike Wiechmann lebt mit ihrer Familie und zwei Kindern in Lübeck.

Knacke das Rätsel!

Sammle von Geschichte zu Geschichte die Antworten zu den Fragen und trage sie hier ins Kreuzworträtsel ein. Das Lösungswort nennt dir etwas, das du auf einem Ponyhof oft hörst. Was ist es?

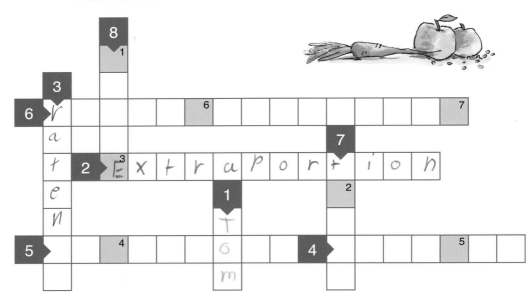

Das Lösungswort heißt:

T	E	r				
1	2	3	4	5	6	7

Lesen, rätseln, Punkte sammeln!
Schau einfach mal rein unter www.leseleiter.de: Dort kannst du mit den Lösungswörtern aus den Lese-Rallye-Büchern wertvolle Punkte sammeln und sie gegen tolle Leseleiter-Prämien eintauschen. Viel Spaß!

Elfengeschichten — Kotloch & Zöller — mit Lese-Rallye

Einhorngeschichten — Judith Allert — mit Lese-Rallye

Fohlengeschichten — Katja Reider — Kleine Geschichten, großer Lesespaß

Prinzessinnengeschichten — Margot Scheffold — Kleine Geschichten, großer Lesespaß

Ponyfreundegeschichten — Alexandra Fischer-Hunold — Kleine Geschichten, großer Lesespaß

Freundinnengeschichten — Antonia Michaelis — mit Lese-Rallye

Die Lesepiraten bieten viele kurze Geschichten zu einem beliebten Kinderthema. Die klare Textgliederung in Sinnzeilen garantiert ein müheloses Erfassen des Inhalts und ermöglicht auf diese Weise auch weniger geübten Lesern ein schnelles Erfolgserlebnis. Zahlreiche Illustrationen schaffen ausreichend Lesepausen und lassen die Geschichten lebendig werden.

Loewe